LA BATALLA CONTRA
EL TEDIO

LAS AVENTURAS DEL HEROICO AVENTURERO Y BLT

Aventura Nº2 - Cómo Dibujar Caricaturas de Animales

EL HEROICO AVENTURERO

Ben Adams   **Ray Nelson**   **Doug Kelly**

SIENTO OTRA VEZ EL HORMIGUEO DE MIS SENTIDOS RINOCERONTILES, AMIGUITO... ¡EL BARÓN DEL TEDIO DEBE DE ANDAR MUY CERCA!

EL HEROICO AVENTURERO

Historia:
Ray Nelson
Ben Adams

Dirección artística:
Ben Adams

Lápices y tinta:
Ben Adams
Angus MacLane
Ray Nelson
Douglas Kelly

Computadora:
Ben Adams
Ray Nelson
Julie Hansen
Kyle Holveck
Aaron Peeples
Kari Rasmussen
Matt Adams
Brud Giles

Redactor:
Brian Feltovich

Domador de rinocerontes:
Mike McLane

Dobles:
Chris Nelson
Holly McLane

Envía un mensaje electrónico al Heroico Aventurero a la dirección:
avenger@flyingrhino.com

Flying Rhinoceros
P.O. Box 3989 Portland, Oregon 97208
www.flyingrhino.com

ISBN 1-59168-011-5
Número de control en la biblioteca del Congreso:
2002100000

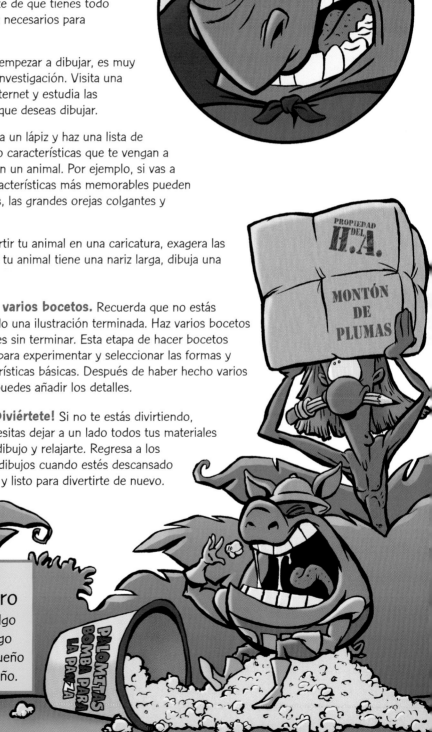

VOY A CONVOCAR TODOS MIS PODERES RINOCERONTILES PARA QUE ÉSTA POBRE CRIATURA VUELVA A SER UN MIEMBRO HONROSO DEL REINO ANIMAL.

Para Empezar

A continuación hay algunos pasos básicos que el Heroico Aventurero y BLT sugieren para empezar a dibujar caricaturas:

1. **Ponte cómodo.** Asegúrate de que tienes todo el espacio, materiales y luz necesarios para dibujar caricaturas.

2. **Investigación.** Antes de empezar a dibujar, es muy importante hacer algo de investigación. Visita una biblioteca o busca en la Internet y estudia las imágenes de los animales que deseas dibujar.

3. **Tormenta de ideas.** Toma un lápiz y haz una lista de las primeras cuatro o cinco características que te vengan a la mente cuando piensas en un animal. Por ejemplo, si vas a dibujar un elefante, las características más memorables pueden ser la trompa, los colmillos, las grandes orejas colgantes y el cuerpo gigantesco.

4. **Exageración.** Para convertir tu animal en una caricatura, exagera las características notables. Si tu animal tiene una nariz larga, dibuja una nariz, muy, muy larga.

5. **Dibuja varios bocetos.** Recuerda que no estás haciendo una ilustración terminada. Haz varios bocetos iniciales sin terminar. Esta etapa de hacer bocetos sirve para experimentar y seleccionar las formas y características básicas. Después de haber hecho varios bocetos, puedes añadir los detalles.

6. **¡Diviértete!** Si no te estás divirtiendo, necesitas dejar a un lado todos tus materiales de dibujo y relajarte. Regresa a los dibujos cuando estés descansado y listo para divertirte de nuevo.

Sugerencia del Heroico Aventurero

La exageración es hacer algo extremo. Si se trata de algo pequeño, no lo dibujes pequeño sino muy, muy, muy pequeño.

CEBRAS

Ahora que ya sabes cómo empezar a dibujar, ayuda al Heroico Aventurero y a BLT a transformar a estas cebras aburridas en los animales rayados y bellos que eran antes.

1. Comienza dibujando los ojos de la caricatura. Después dibuja el hocico o la nariz. El hocico empieza debajo de los ojos, desciende y luego se vuelve hacia arriba formando una sonrisa tontorrona.

2. Dibuja un círculo alrededor de los ojos y la boca. Añade las ventanitas de la nariz haciendo dos puntos y colocando una U invertida sobre los mismos. Para dibujar una lengua graciosa, haz una U en la parte inferior del hocico.

3. Añade dos orejas dibujándolas en forma de hojas en la parte superior de la cabeza.

4. Dibuja dos líneas que salen de la cabeza hacia abajo para formar un cuello largo. El cuello puede tener la longitud que tú quieras. Haz un círculo sencillo para el cuerpo, ponle una cola. Dibuja las patas de la misma manera que dibujaste el cuello.

Utiliza la forma básica del cuerpo de la cebra para crear otros animales con pezuñas, tales como vacas, caballos, camellos y jirafas.

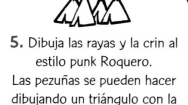

5. Dibuja las rayas y la crin al estilo punk Roquero. Las pezuñas se pueden hacer dibujando un triángulo con la superficie plana hacia abajo.

Puedes dibujar a tu animal parado en las patas traseras, como si fuera un ser humano.

ANIMALES CON PEZUÑAS

CAMELLOS

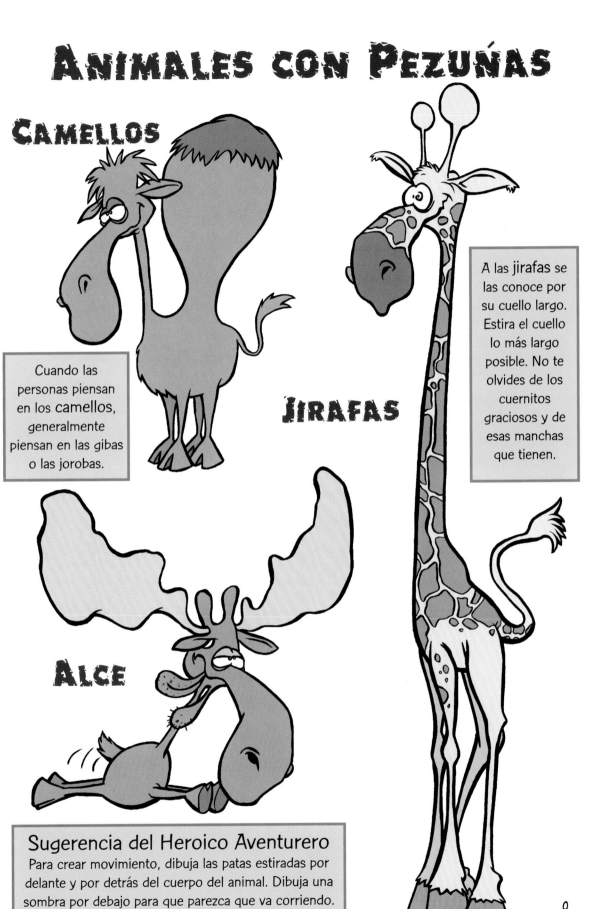

Cuando las personas piensan en los camellos, generalmente piensan en las gibas o las jorobas.

JIRAFAS

A las jirafas se las conoce por su cuello largo. Estira el cuello lo más largo posible. No te olvides de los cuernitos graciosos y de esas manchas que tienen.

ALCE

Sugerencia del Heroico Aventurero
Para crear movimiento, dibuja las patas estiradas por delante y por detrás del cuerpo del animal. Dibuja una sombra por debajo para que parezca que va corriendo.

9

LEONES

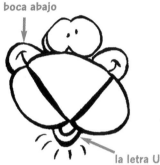

1. Para dibujar gatos, comienza con los ojos. Puedes usar cualquier tipo de ojos para las caricaturas.

2. Ahora dibuja la nariz del gato. Un triángulo invertido (como una porción de pizza) y de cualquier tamaño, va muy bien.

3. A cada lado de la nariz, dibuja medios círculos. En estas bolsas vas a dibujar los bigotes.

la letra U boca abajo

la letra U

4. Dibuja unos mejillas y la boca. Date cuenta que estas partes se hacen con la letra U en la nariz y en las bolsas de los bigotes.

5. Ahora colócale las orejas en la cabeza. De nuevo, utiliza la forma de la U. No te olvides de los bigotes.

Sugerencia del Heroico Aventurero

Cuando termines de dibujar estas formas básicas, añade los detalles. Por ejemplo, si estás dibujando un león, ponle una buena melena. Si vas a dibujar un tigre, añade las rayas. Sabrás qué añadir y dónde, si investigas bien tu animal.

HIPOPÓTAMOS

1. Empieza a dibujar tu hipopótamo con un gran círculo.

2. Añade dos círculos más pequeños superpuestos sobre el gran círculo.

3. Une los círculos como se muestra. Añade las orejas, los ojos, las ventanitas de la nariz y unos dientes grandes y chistosos. No te olvides de la cola.

4. Para añadir las patas, dibuja unos rectángulos pequeños en la base del círculo grande. Puedes dibujar las uñas en forma de U invertida.

Si deseas convertir tu hipopótamo en un rinoceronte, añade dos cuernos encima del hocico y borra los dientes chistosos.

¡AH, QUÉ HERMOSURA! ESPÉRAME, TORTOLITA, Y REGRESARÉ DESPUÉS DE DERROTAR AL ODIOSO BARÓN DEL TEDIO.

MONOS

óvalo 1

óvalo 2

1. Comienza con un círculo.

2. Añade ojos y tres óvalos.

óvalo 3

3. Añade las ventanitas de la nariz y los labios. Los labios se dibujan en la parte inferior del óvalo de la nariz y las ventanitas de la nariz se dibujan en la parte superior.

Los monos tienen una cola larga y delgada que actúa como si fuera otro brazo más.

4. Dibuja un perfil serrado en los óvalos de manera que parezca que están cubiertas de pelo.

Los monos tienen el cuerpo, los brazos y las piernas largos y delgados.

DEJA DE HACER MONADAS...TENEMOS QUE ENCONTRAR AL BARÓN DEL TEDIO.

14

GORILAS

1. Comienza con una forma de huevo.

2. Para los ojos, dibuja dos medios círculos debajo de una línea recta. Añade dos puntos.

arrugas de la frente

ventanitas de la nariz

3. Dibuja un círculo por debajo de la forma de huevo.

saco de arena

4. Dibuja una boca abierta. Luego añade la lengua y el saco de arena que son las amígdalas al fondo de la garganta. Dibuja cada una de las orejas con una U invertida.

5. Dibuja unos dientes afilados para darle al gorila un aspecto de fiereza.

Los gorilas también tienen los hombros anchos y unos músculos grandes y redondos en el pecho.

GRAN GORILA AMA CERDITO... ¡DAME ABRAZO Y MUCHOS BESITOS!

PERO ¿QUÉ TE PASA? ¿ESTÁS LOCO O ESTÁS APLATANADO?

15

COCODRILOS

Dibújale a tu cocodrilo bultos y rugosidades en la piel.

Dibuja un montón de dientes muy afilados.

patas cortas

Los cocodrilos generalmente tienen el hocico y la cola largos.

LAGARTOS

Los lagartos pueden tener la cola larga y espinas en el lomo.

TORTUGAS

1. Haz medios círculos para dibujar una tortuga: un medio círculo pequeño para la cabeza y otro medio círculo más grande para el cuerpo.

2. Añade otro medio círculo pequeño y aplastado a la parte inferior de la cabeza, y únela al cuerpo con dos líneas.

3. Dibuja varias W para los pies y dale ojos de caricatura.

16

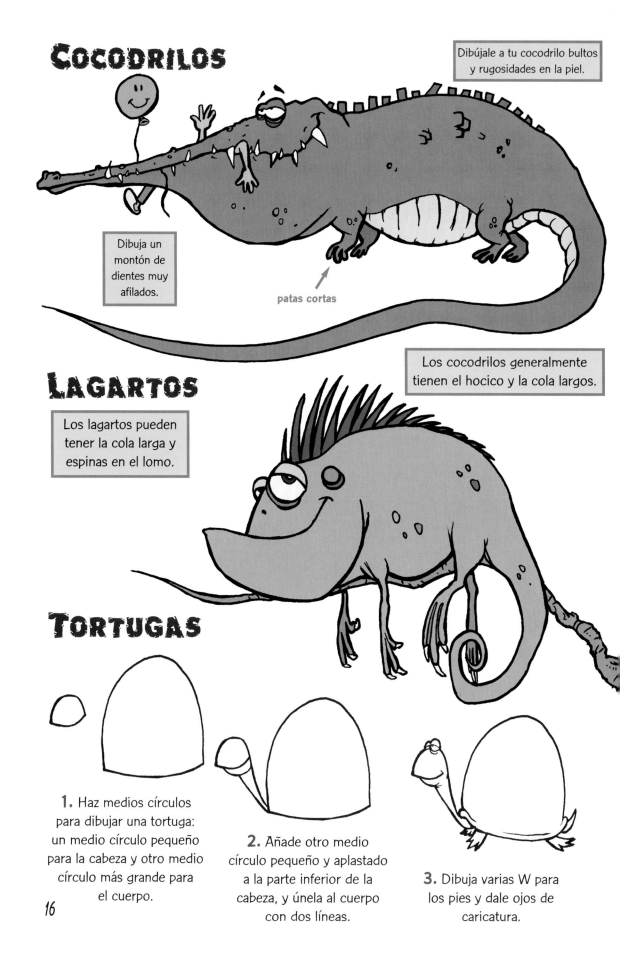

CULEBRAS

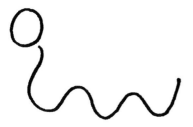  

1. Las culebras son muy fáciles de dibujar. Comienza con un círculo y una línea ondulada.

2. Repite la forma de la línea ondulada y une las dos líneas al final de la cola. Luego une las líneas con el círculo.

3. Añade dos ojos encima del círculo. Dibuja una línea de un lado al otro del círculo para hacer la boca.

RANAS

1. Para dibujar ranas, comienza con dos ojos grandes y redondos. Añade una forma ovalada para el cuerpo.

2. Dibuja una línea a lo ancho de la forma ovalada para hacer la boca.

3. Dibuja las patas. Las ranas tienen unos dedos largos y palmeados.

En El Corral
Ovejas

Puedes dibujar la ovejas como los demás animales con pezuñas, pero el cuerpo de las ovejas es una madeja enorme de lana, con una cabeza y cuatro patas. (Dibuja las formas básicas que aprendiste en la página de animales con pezuñas.) Diviértete dibujando ovejas de diferentes tamaños: altas, bajas, gordas y delgadas.

"bee bee bee"

Cerdos

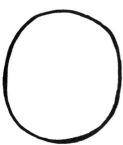   

1. Comienza con un círculo y dibuja otro círculo dentro para la nariz.

2. Dibuja los ojos y una línea delgada para la boca.

3. Las orejas de los cerdos tienen forma de hojas. Puedes dibujar rectángulos para las patas.

4. Puedes darle también manos y pies humanos y una cola enroscada.

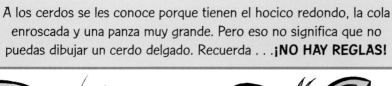

A los cerdos se les conoce porque tienen el hocico redondo, la cola enroscada y una panza muy grande. Pero eso no significa que no puedas dibujar un cerdo delgado. Recuerda . . .**¡NO HAY REGLAS!**

VACAS

1. Para dibujar una vaca, necesitas un hocico, los ojos y las ventanitas de la nariz.

2. Añade las orejas y los cuernos. Los cuernos pueden ser del tamaño que quieras.

3. Para dibujar el cuello, haz dos líneas desde la cabeza. Luego dibuja un rectángulo para formar el cuerpo.

4. Dale a la vaca cuatro patas y las pezuñas en forma de triángulos.

5. Dibuja ahora la cola y la lengua. Ya tienes a esta vaca lista.

Puedes hacer que tu vaca corra, o se siente, o incluso que baile. El tamaño y la forma del cuerpo pueden variar un poco. No tengas miedo de experimentar. Las vacas pueden ser de distintos colores y tener manchas. Experimenta con combinaciones de manchas y colores distintos.

No te olvides de las ubres de la vaca.

PERROS

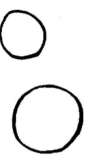

Añade un rectángulo pequeño para el extremo de la boca.

Dibuja la cola.

1. Comienza a dibujar tu perro con dos círculos.

2. En el círculo de arriba, añade un rectángulo que se extienda hacia afuera. Une los dos círculos con dos líneas, que serán el cuello.

3. Añade un círculo más pequeño al extremo del rectángulo para formar la nariz.

4. Dale a tu perro unas orejas caídas y la lengua. Dibuja unas líneas que salgan del cuerpo para formar las patas.

5. Termina tu perro dibujando los ojos y los pies. Los pies son formas ovaladas que se extienden desde las patas. Dibuja varias líneas para formar los dedos.

Si quieres un caniche, dibuja moños de pelo esponjoso por todo el cuerpo de tu perro.

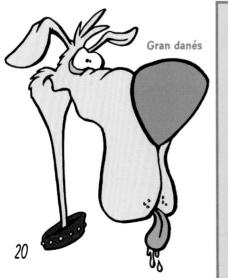

Gran danés

Ve a la biblioteca o usa la Internet para investigar y buscar distintas razas de perros para dibujar. El buldog tiene una mandíbula inferior enorme. El gran danés tiene unos cachetes muy grandes. Puedes ponerle un collar a tu perro para darle más carácter.

Buldog

20

¡No Hay Reglas!

Sugerencia del Heroico Aventurero

No tengas miedo de dibujar personajes estrambóticos. Las caricaturas pueden hacer cosas inesperadas. De la bolsa de un canguro puede salir un muñeco de resorte, o puedes vestir a un camello con un esmoquin.

ROEDORES

Las orejas del conejo son grandes, grandes, grandes.

Cuando dibujes conejos y roedores, tales como ratones, ardillas y castores, puedes usar la misma cara una y otra vez. Por ejemplo, un ratón tiene básicamente la misma cara que un conejo, pero el conejo tiene los pies y las orejas más grandes y una cola peludita.

CONEJOS

Una buena forma de nariz es como una porción de pizza.

1. Comienza con un círculo o una forma ovalada.

2. Añade los ojos y la nariz.

3. Añade una Y invertida a la base de la nariz. Luego dibuja dos cuadrados que serán los dientes grandes para roer.

4. Ahora dibuja los pies grandes y planos y una cola esponjosa como de algodón.

RATAS

Una rata puede tener una nariz corta o larga. No te olvides de la cola larga.

¡OH! ¡MIRA TODOS ESOS SIMPÁTICOS ROEDORES TAN PELUDOS Y GRACIOSOS!

23

¡EL HEROICO AVENTURERO NO LE TEME A NADA!

¡NO TE ACERQUES, RINO CHICO! ¡NO DUDARÉ EN USAR ESTOS ROEDORES! ¡CIENTOS DE INOCENTES VISITANTES DEL ZOOLÓGICO PUEDEN RESULTAR LASTIMADOS!

¡NO SEAS FANFARRÓN, BARÓN DEL TEDIO! ¡NI SIQUIERA TÚ TE ARRIESGARÍAS A LA DESTRUCCIÓN EN MASA QUE CAUSARÍA EL FUEGO INDISCRIMINADO CON ROEDORES!

¡Y AHORA ME ESCAPARÉ PARA SIEMPRE DE ESE RINOCERONTE PASMADO Y DE SU PATÉTICO PUERCO!

SOMOS CARICATURAS. ¡DEBERÍAMOS HABER VISTO LO QUE NOS ESPERABA!

TIENES RAZÓN, MI CORPULENTO CAMARADA COCHINO. SI HUBIÉRAMOS SEGUIDO LAS TRES PARTES PRINCIPALES DE ESTA HISTORIA, HABRÍAMOS SABIDO LO QUE NOS ESPERABA.

AHORA RESULTA OBVIO. TODAS LAS HISTORIAS TIENEN TRES PARTES PRINCIPALES. EL COMIENZO, LA MITAD Y EL FINAL. CADA PARTE CUMPLE UNA FUNCIÓN DISTINTA. ESTE CONTRATIEMPO OBVIAMENTE FORMA PARTE DEL CLÍMAX O FINAL DE LA HISTORIA.

CREO QUE NO TE ENTIENDO, H.A.

QUIERO DECIR QUE DEBERÍAMOS HABER VISTO ESTA MONTAÑA ENORME Y GIGANTESCA CONTRA LA QUE NOS HEMOS ESTRELLADO.

PASA LA PÁGINA Y VERÁS LO QUE QUIERO DECIR.

COMIENZO

EL COMIENZO DE CADA BUENA HISTORIA ES CUANDO EL LECTOR O ESPECTADOR APRENDE TODO ACERCA DE LOS PERSONAJES Y SU ENTORNO. EL COMIENZO ES TAMBIÉN DONDE SE PRESENTA LA TRAMA O ARGUMENTO.

LA ACCIÓN TIENE QUE PRODUCIRSE EN ALGÚN LUGAR. PORQUE SI ALGO OCURRE EN NINGÚN SITIO, ENTONCES NO ES NADA, ¿VERDAD? ESPERA... ANTES DE QUE TE DÉ UN PATATÚS CEREBRAL, VOY A DECÍRTELO DE OTRA MANERA. CUANDO SE DESARROLLA UNA HISTORIA CON CARICATURAS, PIENSA EN LOS ESCENARIOS DIFERENTES Y LAS POSIBILIDADES QUE OFRECEN.

PIENSA EN LAS POSIBILIDADES SORPRENDENTES DE LA HISTORIA QUE SUGIEREN ESTOS ESCENARIOS:
- ▶ LA PLATAFORMA DE LANZAMIENTO DE UN COHETE, 90 SEGUNDOS ANTES DEL DESPEGUE
- ▶ UNA CARRERA CON TRINEOS TIRADOS POR PERROS EN LA HELADA ALASKA
- ▶ UN BOTE SALVAVIDAS EN MEDIO DE UN OCÉANO TORMENTOSO

UNA VEZ QUE HAS SELECCIONADO UN LUGAR DONDE VA A OCURRIR LA ACCIÓN, NECESITAS UNOS PERSONAJES PARA LAS COSAS QUE VAN A PASAR. LOS PERSONAJES AYUDAN A ATRAER AL LECTOR A LA HISTORIA. INCLUYE UN PERSONAJE QUE GUSTE A LOS LECTORES Y AL QUE QUIERAN ANIMAR...COMO YO...Y UN PERSONAJE QUE NO LES GUSTE Y AL QUE QUIERAN ABUCHEAR CUANDO LO VEAN...COMO EL BARÓN DEL TEDIO, POR EJEMPLO. TAMBIÉN ES UNA BUENA IDEA INCLUIR PERSONAJES CÓMICOS EN LA HISTORIA PARA QUE DEN EL TOQUE DE HUMOR.

¿POR QUÉ NO TENEMOS NINGÚN PERSONAJE CÓMICO, AVENTURERO?

¡SI TÚ SUPIERAS, MI CHANCHITO CHISTOSO! ÉSTAS SON ALGUNAS IDEAS SOLAMENTE. PRUEBA A CREAR TU PROPIA COMBINACIÓN DE PERSONAJES: HOMBRES Y MUJERES, VIEJOS Y NIÑOS, PERROS VOLADORES Y GATOS VOLADORES.

ACCIÓN

INTRODUCCIÓN

Sugerencia del Heroico Aventurero
¡Las tormentas de ideas al poder! Pasa tiempo cada día imaginando entornos disparatados, personajes interesantes y especialmente ideas excéntricas para tus historias. Luego escríbelos.

CLÍMAX

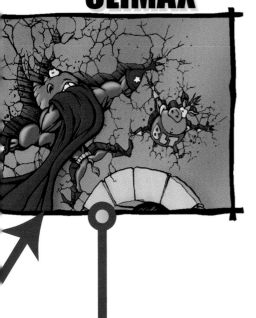

MITAD

LA MITAD DE UNA HISTORIA ES DÓNDE EL ARGUMENTO Y EL CONFLICTO SON IMPORTANTES. TIENES UN ENTORNO QUE TE OFRECE MUCHAS POSIBILIDADES INTERESANTES PARA TU HISTORIA. TIENES UNOS PERSONAJES QUE VAN A METER AL LECTOR EN LA HISTORIA. AHORA, ¿QUÉ VA A OCURRIR EN TU HISTORIA? NECESITAS UNA MANERA DE ESTRUCTURAR TODAS LAS IDEAS GENIALES QUE TE VIENEN A LA CABEZA. LA TRAMA, O ARGUMENTO, SON LOS EVENTOS QUE TE HAS IMAGINADO Y QUE SE UNEN PARA CONTAR LA HISTORIA.

CADA TRAMA NECESITA UN PROBLEMA, O CONFLICTO. ESTO NO QUIERE DECIR QUE SEA NECESARIA UNA GUERRA, NI SIQUIERA UNA PELEA DE ALMOHADAS. SÓLO SIGNIFICA QUE ALGUIEN EN LA HISTORIA TIENE QUE QUERER ALGO. EN NUESTRO CASO NOSOTROS QUEREMOS CAPTURAR AL BARÓN DEL TEDIO, PARA QUE NO PUEDA TERMINAR CON LA CREATIVIDAD.

LA ACCIÓN ES UNA SERIE DE EVENTOS QUE LLEVAN A UN CLÍMAX. EL PROBLEMA, O CONFLICTO, SE VUELVE MÁS SERIO CON FRECUENCIA DEBIDO A LAS COMPLICACIONES. EL LECTOR QUEDA EN SUSPENSO MIENTRAS ESPERA A VER SI SE RESUELVE EL CONFLICTO. YA HEMOS LLEGADO AL CLÍMAX DE NUESTRA HISTORIA. SI HUBIÉRAMOS SEGUIDO LA ESTRUCTURA DE ESTA HISTORIA, PROBABLEMENTE HABRÍAMOS SABIDO DE ANTEMANO QUE IBA A APARECER ALGO COMO ESTA MONTAÑA.

RESOLUCIÓN

FINAL

EL FINAL DE LA HISTORIA ES DONDE SE RESUELVE EL CONFLICTO.

EL CLÍMAX ES EL LUGAR DONDE TODO CAMBIA EN LA HISTORIA. SE RESUELVE EL PROBLEMA ORIGINAL; EL CONFLICTO TERMINA.

INCLUSO DESPUÉS DE RESOLVER EL PROBLEMA, TODAVÍA PUEDEN QUEDAR ALGUNOS CABOS QUE ATAR. DURANTE LA RESOLUCIÓN SE PUEDEN ACLARAR LAS COMPLICACIONES QUE SE HAN INTRODUCIDO DURANTE LA ACCIÓN. TAMBIÉN PUEDES MOSTRAR CÓMO AFECTA EL CLÍMAX A LOS DISTINTOS PERSONAJES EN LA HISTORIA.